Par

La Peste

d'Albert Camus

lePetitLittéraire.fr

ALBERT CAMUS

ÉCRIVAIN, DRAMATURGE, ESSAYISTE ET PHILOSOPHE FRANÇAIS

- **Né en 1913 à Mondovi (Algérie)**
- **Décédé en 1960 à Villeblevin**
- **Quelques-unes de ses œuvres :**
  - *L'Étranger* (1942), roman
  - *Le Mythe de Sisyphe* (1942), essai
  - *L'Homme révolté* (1951), essai

Français né en Algérie, prix Nobel de littérature, Albert Camus est l'un des écrivains majeurs du XXe siècle. Intellectuel profondément engagé, philosophe, journaliste, dramaturge et romancier, il a marqué son temps par sa réflexion sur l'absurde, qui a trouvé chez lui une expression nuancée, sensible et humaine.

Largement admiré, parfois critiqué, Camus a trouvé un écho considérable dans le monde entier avec ses romans *La Peste* (1947) et, surtout, *L'Étranger* (1942). Il est mort prématurément en 1960 à la suite d'un accident de voiture.

LA PESTE

LE DÉBUT DE LA RÉVOLTE

- **Genre :** roman
- **Édition de référence :** *La Peste*, Paris, Gallimard, 1972, 228 p.
- **1re édition :** 1947
- **Thématiques :** épidémie, isolement, mort, chaos, menace, révolte

La Peste évoque les efforts du Dr Rieux et de quelques autres habitants pour enrayer une épidémie de peste qui frappe la ville d'Oran dans les années 1940.

Ce roman paru en 1947 (premier grand succès en librairie pour l'auteur) marque une évolution importante dans l'œuvre et la pensée de Camus, puisqu'il rompt avec le cycle de l'absurde (*L'Étranger*, *Le Mythe de Sisyphe*, *Caligula* et *Le Malentendu*) et inaugure celui de la révolte (*La Peste*, *Les Justes*, *L'Homme révolté*).

RÉSUMÉ

La Peste évoque, sous la forme d'une chronique rédigée par un mystérieux narrateur, dont l'identité est révélée au terme de l'histoire – il s'agit du Dr Bernard Rieux, le protagoniste principal –, les curieux évènements (fictifs) survenus à Oran au début des années 1940 ; l'année exacte n'est pas donnée.

L'APPARITION D'UN MAL MYSTÉRIEUX

Tout commence un jour d'avril 1940 lorsque le Dr Bernard Rieux bute sur un rat mort en sortant de chez lui. Après avoir conduit sa femme à la gare (malade, elle doit quitter la ville pour se faire soigner), Rieux commence ses visites. Les jours suivants, en parlant avec ses patients, ses collègues (le Dr Richard, entre autres) et ses voisins, il réalise que des rats envahissent la ville et viennent mourir au grand jour. Un coup de téléphone d'un ancien patient, Joseph Grand, l'amène à rencontrer un certain Cottard, un représentant de commerce qui a essayé de se pendre. Ce dernier panique à l'idée de devoir s'entretenir avec le commissaire de police. Rieux le rassure et reprend sa tournée.

L'hécatombe des rats se poursuit et s'amplifie même jusqu'à la fin du mois, puis elle cesse brutalement. Rieux constate alors que certains patients (dont M. Michel, son concierge) sont atteints d'un mal étrange qui les emporte en quelques jours. Les cas se multiplient, les autorités tardent à réagir, et la ville entière est en fièvre. Rieux doit se rendre à l'évidence : la peste décime les Oranais. Il alerte alors le préfet. Les autorités ne voulant pas effrayer la population, de timides mesures sont prises pour limiter la contagion.

L'ÉPIDÉMIE

La fermeture des portes de la ville marque le début d'un « long temps d'exil » (p. 71) qui modifie peu à peu le comportement des habitants.

Certains font preuve de solidarité et tentent de lutter contre le fléau, à l'image du Dr Rieux qui se tue à la tâche et refuse de baisser les bras.

- Jean Tarrou (un rentier aisé dont le narrateur a recueilli le témoignage) se met au service de Rieux et prend part aux formations sanitaires mises en place par la ville.
- Raymond Rambert, un journaliste parisien séparé de sa compagne, l'imite quand il comprend qu'il ne peut bénéficier des rares mesures d'exception qui lui permettraient de quitter la ville.
- Joseph Grand, employé à la mairie, accepte aussi de donner de son temps libre pour coordonner les efforts des médecins et des bénévoles.

D'autres sont cependant plus réticents à apporter leur soutien.

- Cottard, qui trouve une étrange satisfaction dans le malheur de ses concitoyens, profite même de la situation en faisant de la contrebande.
- Le père Paneloux tente, de son côté, de donner un sens au fléau lors d'un prêche à la cathédrale : la peste est pour lui un avertissement de Dieu. Rieux n'y croit pas. Épuisé,

le docteur continue stoïquement sa lutte.

Durant l'été, l'épidémie s'amplifie, et la mort se banalise : on fait disparaitre les cadavres à la hâte et on abat ceux qui tentent de fuir la ville. La douleur aigüe cède la place à l'abattement, et les gens se résignent à vivre au présent, sans espoir et sans mémoire. L'amour déserte le cœur des habitants. La peste apparait comme un fléau monotone qui ne laisse pas de place à l'héroïsme, comme « un interminable piétinement qui écrase tout sur son passage » (p. 181).

LA RÉVOLTE DU DR RIEUX

L'automne arrive, et les morts continuent à se succéder. Rieux devient indifférent à la souffrance qui s'étale quotidiennement sous ses yeux, mais il n'abandonne pas son combat pour autant. L'agonie puis le décès d'un innocent (le jeune fils du juge Othon) le révoltent. Le père Paneloux s'efforce d'y voir la volonté de Dieu. Rieux s'emporte, puis s'excuse et reconnait qu'ils doivent travailler ensemble. Mais, quelques jours plus tard, après un prêche empreint de doute, le père Paneloux meurt sans avoir consulté de médecin et sans qu'on puisse affirmer si c'est la peste qui l'a emporté.

Durant cette période, Rieux se confie un peu à ceux qui l'entourent. Il parle à Grand de sa femme, dont il reçoit des nouvelles lacunaires par télégramme. Il discute ouvertement du bonheur égoïste que semble être l'amour de Rambert pour sa compagne et il reconnait qu'il ne peut lui reprocher de vouloir quitter la ville. Mais Rambert renonce à son projet : s'il n'y a pas de honte à préférer le bonheur, « il peut y avoir de la honte à être heureux tout seul » (p. 208). Cottard, pour sa part, n'en éprouve pourtant pas. Il continue à faire des affaires et semble se réjouir de n'être plus le seul à souffrir.

À la Toussaint, peu après la mort du Dr Richard (dont l'optimisme naïf n'a pas suffi à enrayer l'épidémie), Tarrou gagne l'affection de Rieux et lui fait part de ses réflexions : il lui demande s'il croit qu'il est possible d'être « un saint sans Dieu » (p. 253). Le docteur rétorque qu'il n'a que faire de l'héroïsme ou de la sainteté et qu'il essaie juste d'être un homme. Les deux individus échappent quelques instants à la peste et à l'absurdité de leur lutte en prenant un vivifiant bain de mer. À Noël, Grand tombe malade, mais il ne succombe pas. L'hiver semble faire reculer le fléau ; les rats réapparaissent, vivants.

LA PERSISTANCE DE LA MENACE

À la mi-janvier, l'espoir renait, même si certains meurent encore au milieu de l'allégresse générale : le juge Othon, puis Tarrou, que Rieux avait recueilli chez lui pour tenter de le sauver. Le lendemain, le docteur apprend la mort de sa femme par télégramme. En février, la ville ouvre à nouveau ses portes, et Rambert retrouve sa compagne. Cottard, qui a vainement essayé d'échapper à la police (le motif de sa culpabilité n'est pas divulgué), se met à tirer sur la foule depuis la fenêtre de son appartement. Il est finalement arrêté sous les yeux de Grand (guéri) et de Rieux.

Alors que la ville fait la fête et s'empresse d'oublier les tragiques évènements qui se sont abattus sur elle, Rieux médite seul du haut d'une terrasse : le bacille de la peste ne disparait jamais complètement, le bonheur des hommes est toujours menacé.

ÉTUDE DES PERSONNAGES

LE DR BERNARD RIEUX

Âgé d'environ 35 ans, le Dr Rieux est un homme physiquement banal (taille moyenne, nez régulier, cheveux noirs) de type méditerranéen dont les « épaules fortes » et les « mâchoires saillantes » reflètent la force de caractère et l'assurance (p. 35). C'est un homme exemplaire : honnête, juste, courageux, intelligent, actif, efficace et profondément bon. Fils d'ouvrier devenu médecin, il sacrifie ses intérêts personnels à ceux de la communauté. Son caractère évolue cependant : solitaire voire taciturne en début de roman, il s'ouvre progressivement aux hommes qui l'entourent (Grand et Tarrou) et développe certaines amitiés (l'épisode du bain de mer avec Tarrou en marque le paroxysme).

« Lassé du monde » (p. 18) et athée, il n'est pourtant pas misanthrope : « Il y a dans les hommes plus de choses à admirer que de choses à mépriser » (p. 308). Obsédé par son travail (cette lutte quotidienne acharnée lui permet de ne pas céder au défaitisme), il s'efforce d'agir plutôt que d'essayer de comprendre l'origine du fléau : « On ne peut pas en même temps guérir et savoir. » (p. 209)

Chroniqueur prétendument objectif, ce narrateur, qui utilise volontiers le « nous » pour marquer sa solidarité avec les Oranais, dévoile son identité à la fin du roman. Par son âge, par son origine sociale et géographique, et par ses idées, il rappelle l'auteur lui-même.

JEAN TARROU

Jean est un homme simple et aisé installé depuis peu à Oran. Ses carnets, qui servent de source à la chronique du narrateur principal, en font l'historien de l'insignifiance. Fils d'un avocat général, il a pris ses distances avec la justice et avec son père après avoir assisté à la condamnation à mort d'un homme (p. 247). Il s'en ouvre à Rieux qui lui affirme qu'il a avant tout à cœur d'être un homme.

Au départ discret, Tarrou se révèle très impliqué dans le combat contre la peste, prenant notamment part aux dispositifs sanitaires mis en place dont il est l'instigateur. Il montre peu à peu de grandes qualités humaines et refuse, comme Rieux, de s'avouer vaincu face au fléau, ce qui lui confère une certaine stature de saint. Cela ne l'empêche pas de mourir de la peste dans les derniers temps de l'épidémie.

JOSEPH GRAND

Joseph Grand est « un petit employé de mairie » (p. 49) tout à fait ordinaire dont l'allure générale reflète l'insignifiance et la faiblesse (son nom, bien qu'il fasse référence à sa grande taille, est antinomique de ce point de vue). Sans grande ambition, il mène une existence tout à fait banale jusqu'à l'arrivée de la peste, si ce n'est qu'il nourrit une passion secrète : celle d'écrire un livre. Mais il bute sans cesse sur la première phrase, qu'il réécrit tous les soirs, seul dans son appartement. Rieux le considère pourtant comme un de ces héros anonymes, généreux et voués au bonheur collectif, dont l'action discrète et la modestie font la grandeur (p. 140).

Malgré son apparente insignifiance, Grand est un personnage qui compte dans le roman, montrant lui aussi d'importantes qualités. Comme plusieurs autres personnages, il donne de son temps pour coordonner les efforts sanitaires face à la peste. Tombé malade, il guérit miraculeusement, comme récompensé pour son comportement exemplaire.

RAYMOND RAMBERT

Raymond Rambert est un jeune journaliste parisien envoyé à Oran pour se renseigner sur les conditions de vie des Arabes (p. 87). La guerre d'Espagne (qu'il a faite « du côté des vaincus », p. 163) a quelque peu tempéré son idéalisme : « Je ne crois pas à l'héroïsme, je sais que c'est facile et j'ai appris que c'était meurtrier. » (p. 163) Il cultive désormais un bonheur plus égoïste (il cherche avant tout à quitter Oran par n'importe quel moyen pour retrouver sa compagne). Mais, à l'instar de Grand et de Tarrou, il évolue et finit par prendre part aux formations sanitaires, montrant par là sa solidarité avec les Oranais.

Son évolution est nette, quoique plus tardive que chez les autres personnages : c'est seulement lorsqu'il réalise le caractère égoïste de sa démarche (ses tentatives de quitter la ville échouent à plusieurs reprises) qu'il décide de s'engager aux côtés de Rieux. Son comportement est récompensé lorsqu'il peut enfin quitter Oran et retrouver celle qu'il aime.

LE PÈRE PANELOUX

Le père Paneloux est un prêcheur charismatique et dogmatique. Il s'empresse d'interpréter la peste comme un avertissement divin et s'efforce de voir dans la mort d'un enfant innocent la volonté divine, suivant par là une logique du « tout ou rien » : « Il faut tout croire ou tout nier. » (p. 223) Ébranlé dans sa foi, il devient plus hésitant. Son impuissance et l'inutilité de ses discours (il s'oppose par là à l'action modeste et discrète de Rieux) en font le symbole de l'échec du christianisme face à un fléau comme la peste. Le fatalisme actif qu'il prône (p. 225) ne le protège en rien contre la peste et son scepticisme face à la science (il refuse d'être examiné lorsqu'il tombe malade) le conduit tout droit à la mort.

COTTARD

Cottard est assurément le personnage le plus négatif de ce roman. Ce « petit homme rond », coupable d'on ne sait quel délit, tente de se pendre au début du roman pour échapper à la justice. C'est un être faible, « un cœur ignorant, c'est-à-dire solitaire » (p. 303), désespéré, égoïste et lâche qui se réjouit de l'épidémie de peste : il trouve une consolation à sa propre souffrance dans le malheur des autres, et profite de l'isolement de la ville pour faire des affaires et vendre à prix d'or des denrées alimentaires de base.

Vivant aisément de ses rentes, il refuse toute forme de solidarité qui ne lui soit profitable et finit par tirer sur la foule à l'ouverture des portes de la ville. Cependant, le narrateur et Grand ne peuvent se résoudre à le haïr ni même à lui en vouloir (p. 306).

CLÉS DE LECTURE

DE LA CHRONIQUE À LA TRAGÉDIE

Au début du récit, le narrateur indique que le récit qu'il nous transmet est en fait une chronique. Il précise qu'il a eu recours à de nombreux témoignages, dont les notes prises par Jean Tarrou lors de l'épidémie. De cette manière, même si les faits racontés dans le roman sont fictifs, Camus a voulu leur donner une apparence réelle.

Le style employé renforce ce sentiment. Il est froid, détaché, monotone. L'identité du narrateur nous étant inconnue, le récit est écrit à la troisième personne du singulier, ce qui laisse apparaitre une certaine distance.

Néanmoins, la structure donnée au récit par Camus pourrait évoquer davantage celle d'une tragédie classique. En effet, il est composé de cinq parties :

- la première partie consiste en l'exposition des faits. La maladie qui touche de nombreux rats semble s'être propagée parmi les hommes et se transforme rapidement en une épidémie ;
- la deuxième partie évoque la propagation de la maladie (élément perturbateur) et les premières mesures prises (fermeture des portes de la ville). On y découvre également les premières réactions des habitants ;
- la troisième partie concerne l'amplification de la maladie et les répercussions sur le moral des hommes (abattement et fatalisme). Toute la ville est touchée et cela crée

la panique. Certains tentent de trouver une explication ;
- la quatrième partie voit le pic de la maladie atteint (nœud de l'histoire). Le Dr Rieux n'abandonne pas. Au contraire, le décès d'un jeune enfant le révolte et donne à son combat un nouveau souffle ;
- la cinquième partie voit le dénouement du récit. L'épidémie est enrayée, et la situation se normalise.

Camus ne respecte toutefois pas à la lettre la règle des trois unités. Même si l'unité de lieu (ville mise en quarantaine) et l'unité d'action (en apparence, lutte contre l'épidémie de peste) sont respectées, l'unité de temps pose davantage de problèmes puisque la période envisagée est de quelques mois alors qu'elle ne devrait pas excéder 24 heures.

De plus, même si l'épidémie est stoppée, la fin reste tragique puisque le narrateur précise que la maladie n'est pas éradiquée et que le bonheur des hommes est toujours menacé.

LA PESTE : UN SYMBOLE POLYSÉMIQUE

Dans l'épigraphe du roman, Camus affirme la liberté de l'auteur de fiction vis-à-vis de l'histoire : « Il est aussi raisonnable de représenter une espèce d'emprisonnement par une autre que de représenter n'importe quelle chose qui existe réellement par quelque chose qui n'existe pas. » (Daniel Defoe, écrivain anglais, 1660-1731)

Si la peste ne s'est pas répandue en Algérie durant les années quarante, l'auteur sous-entend que d'autres maux comparables ont frappé les hommes, et que la peste doit être considérée comme un symbole. De plus, ce symbole est ouvert à plusieurs interprétations, parfois très différentes. Nous n'en retiendrons ici que quatre : la guerre, le châtiment divin, la culpabilité humaine et le mal.

La peste = la guerre

Le moment de l'écriture (fin 1940-printemps 1942) et de publication (1947) de l'œuvre nous laisse comprendre que la peste renvoie à la guerre. La Seconde Guerre mondiale (1939-1945) a en effet bouleversé les mentalités et la vie de chacun. Les intellectuels et les écrivains ont donc tenté de comprendre l'évènement et se sont donné pour tâche de prendre parti, de « s'engager » politiquement (l'engagement signifie moins l'adhésion à un parti politique précis que la défense d'une position politique claire). De vifs débats (auxquels Camus a participé) ont eu lieu dans et hors du domaine littéraire.

Des éléments significatifs permettent d'établir un parallèle entre la peste et la Seconde Guerre mondiale dans le roman :

- l'histoire se déroule dans les années quarante. Cette période est suffisamment importante dans l'Histoire de l'humanité pour que la référence à la guerre soit claire ;
- Oran est rapidement présenté comme une « ville fermée » (elle s'est construite en tournant le dos à la mer, et ses portes sont condamnées dès la fin de la première partie), envahie par les rats puis par la maladie (le roman insiste sur le terme « invasion », p. 21 et 72). Cette situation fait référence à la France occupée par l'armée nazie, qu'on appelait d'ailleurs « la peste brune » (en raison de la couleur des uniformes allemands).

Le narrateur insiste aussi sur la parenté générale entre les deux fléaux :

- « Il y a eu dans le monde autant de pestes que de guerres. Et pourtant pestes et guerres trouvent toujours les gens aussi dépourvus. » (p. 42) Leurs conséquences sont d'ailleurs semblables : séparation des familles et des couples, fin du libre passage, population décimée, méfiance généralisée, etc. ;
- le texte utilise de nombreux termes du lexique guerrier : « vie de prisonniers » (p. 77 et 112), « interminable défaite » (p. 131), etc.

Suivant cette interprétation, les efforts du Dr Rieux et de ses amis pour enrayer l'épidémie font référence à la Résistance en France sous l'occupation allemande.

La peste = une punition divine

Dans ses prêches, le père Paneloux compare la situation d'Oran à des évènements similaires de la Bible : le déluge, la destruction de Sodome et de Gomorrhe, les dix plaies d'Égypte et l'histoire de Job (p. 98-101). Il perçoit ainsi la peste comme une punition de Dieu. Le narrateur fait parfois référence à cette interprétation : il évoque notamment les « pluies diluviennes » qui s'abattent sur Oran au début de l'épidémie (p. 36).

Mais le Dr Rieux réfute le point de vue du père Paneloux : quel Dieu pourrait en effet ôter la vie d'un enfant innocent ? Cet argument ébranle Paneloux dans sa foi : après un second prêche hésitant, il tombe malade et meurt rapidement. Sa mort peut symboliser l'échec de sa lecture du fléau.

La peste = la culpabilité humaine

Jean Tarrou envisage la peste comme une sorte de péché originel, mais d'un point de vue laïque. Ce personnage se réclame en effet de l'athéisme.

Déçu par la justice, puis par la lutte révolutionnaire parce que l'un et l'autre amènent à justifier l'assassinat au nom d'un idéal supérieur, Tarrou finit par étendre cette culpabilité à l'humanité entière. Pour lui, chaque être humain participe de près ou de loin à des sociétés qui justifient la mise à mort.

Conscient de cette culpabilité originelle, Tarrou estime que la seule chose que l'homme puisse faire pour échapper à la honte d'être un pestiféré, c'est « de refuser tout ce qui, de près ou de loin, pour de bonnes ou de mauvaises raisons, fait mourir ou justifie qu'on fasse mourir » (p. 251). Mais il sait pertinemment que cette position n'est qu'idéale.

La peste = une allégorie du mal

La peste peut aussi être vue comme étant au-dessus des maux particuliers : elle devient ainsi l'allégorie du mal en général, car « la souffrance de l'homme dépasse les contingences de l'histoire » (BEAUMARCHAIS J.-P. et COUTY D., *Dictionnaire des grandes œuvres de la littérature française*, p. 962).

Selon cette lecture, la peste apparait comme un élément constitutif de la condition humaine. L'un des principaux visages de ce fléau, pour le narrateur, est l'absence de solidarité entre les hommes. Rieux (surtout) et ses amis font ainsi figure d'exceptions : malgré le nivèlement social et malgré le désespoir croissant qui pousse à un certain héroïsme, la plupart des Oranais restent méfiants et préfèrent se replier égoïstement sur eux-mêmes plutôt que de participer à la lutte collective. Le narrateur invite d'ailleurs à ne pas exagérer l'importance des formations sanitaires, mais souligne que ce sont ces tentatives, ces efforts modestes, qui font la grandeur de l'homme (p. 134-135).

DE L'ABSURDE À RÉVOLTE

L'absurde de la condition humaine

Dans *La Peste*, les hommes sont confrontés à l'absurde de leur condition face à la maladie qui fait des ravages. Comme le personnage du père Paneloux l'illustre, les discours chrétiens sont vains face à un tel phénomène. Les Oranais n'ont que la mort pour horizon et ne peuvent dès lors pas envisager le passé et l'avenir : « Impatients de leur présent, ennemis de leur passé et privés d'avenir, nous ressemblions bien ainsi à ceux que la justice ou la haine humaines font vivre derrière des barreaux. » (p 77)

L'homme tente bien de résister en envoyant des télégrammes, des lettres, pour garder un lien avec le monde extérieur, mais la raison, qu'il cherche à conserver de cette manière,qui lui permet de se confier et d'exprimer ses inquiétudes, perd progressivement de son sens. Il ne comprend plus ce qui l'entoure, d'autant plus qu'il se retrouve seul au milieu d'un monde qu'il peine à comprendre.

Dans *La Peste*, les personnages tentent désespérément de trouver un sens aux tâches qu'ils répètent inlassablement : Rieux vit des journées répétitives durant lesquelles il consulte un patient après l'autre ; Tarrou se pose les mêmes questions jour après jour ; Grand réécrit tous les soirs la première phrase de son œuvre avant de la recommencer, indéfiniment ; Rambert recommence sans arrêt et en vain ses démarches pour quitter Oran. De la même manière, les Oranais envoient continuellement les mêmes lettres à leurs proches depuis la fermeture de la ville sans savoir si elles arrivent à leur destinataire, et enterrent leurs morts sans voir le bout de cette période macabre. Les personnages se rapprochent en ce sens de Sisyphe, sujet d'une autre œuvre de Camus et héros absurde par excellence, condamné à faire rouler éternellement un rocher en haut d'une montagne, en sachant que tôt ou tard le rocher fera le chemin inverse et retombera.

Dépasser l'absurde pour arriver à la révolte

Contrairement à *L'Étranger*, les personnages de *La Peste* dépassent la simple acceptation de l'absurdité de l'existence. Rieux reconnait l'absurdité de sa condition, admet la probable vanité de son combat, mais refuse d'arrêter de lutter :

> « Il fallait lutter de telle ou telle façon et ne pas se mettre à genoux. Toute la question était d'empêcher le plus d'hommes possible de mourir [...]. Il n'y avait pour ça qu'un seul moyen qui était de combattre la peste. Cette vérité n'était pas admirable, elle n'était que conséquente. » (p. 136)

Il adopte donc l'attitude de l'homme révolté que Camus

défend dans son essai éponyme (1951) et dont voici les principales caractéristiques :

- **le refus du suicide**. Camus refuse le suicide, car il « résout l'absurde ». Or l'absurde doit être maintenu puisqu'il pousse à agir. Se suicider, c'est abdiquer ;
- **la lucidité**. L'homme doit accepter en toute lucidité sa condition et ne pas recourir à un hypothétique Dieu pour le consoler ou le sauver. L'être rationnel qu'est Rieux refuse de recourir à des explications métaphysiques (superstition ou religion) pour comprendre le fléau. Il se base sur des certitudes acquises progressivement pour comprendre le mal et mieux le combattre (contrairement à son collègue, le Dr Richard, p. 234) ;
- **l'action au moment présent**. Libérée des contraintes d'un improbable futur, l'action de l'homme révolté se fait plus audacieuse. Après avoir compris qu'ils doivent vivre sans savoir s'ils échapperont à la peste, les Oranais acceptent de risquer leur vie pour celle des autres : Grand, Tarrou, Rambert et d'autres suivent Rieux. Par ailleurs, ce dernier privilégie l'action (concrète et réfléchie) à la réflexion théorique (« Ah ! dit Rieux, on ne peut pas en même temps guérir et savoir. Alors guérissons le plus vite possible. C'est le plus pressé », p. 209) ;
- **l'affirmation de la solidarité et de la complicité**. L'homme révolté échappe à la solitude (constitutive de l'absurde) en affirmant son appartenance à une communauté et en reconnaissant l'égalité entre les hommes. Rieux s'ouvre peu à peu aux autres et découvre l'amitié. D'emblée, il reconnait que la peste est l'affaire de tous et soigne indifféremment pauvres et riches, hommes et

femmes, etc. À la fin, lors de l'arrestation de Cottard, il ne peut s'empêcher de voir en celui-ci une victime de la brutalité policière (p. 306).

La Peste marque donc une évolution capitale dans l'œuvre de Camus : il affirme la possibilité de résister à l'absurdité de la condition humaine par l'action et par la solidarité.

PISTES DE RÉFLEXION

QUELQUES QUESTIONS POUR APPROFONDIR SA RÉFLEXION…

- Parmi les personnages, on distingue deux réactions différentes face à la peste. Lesquelles ? Expliquez-les.
- Quel est le point de vue de Tarrou sur la peste ? Qu'en pensez-vous ?En quoi Rieux est-il un homme exemplaire et en quoi s'oppose-t-il au père Paneloux ?
- Tarrou se demande s'il est possible d'être « un saint sans Dieu » (p. 253). Expliquez sa réflexion.
- Interprétez l'épigraphe du roman : « Il est aussi raisonnable de représenter une espèce d'emprisonnement par une autre que de représenter n'importe quelle chose qui existe réellement par quelque chose qui n'existe pas. » (Daniel Defoe)
- Qu'est-ce qui, dans le roman, peut amener le lecteur à penser que la peste symbolise la Seconde Guerre mondiale ?
- De quoi la mort du père Paneloux est-elle le symbole ?
- Pourquoi peut-on dire que Rieux adopte l'attitude de « l'homme révolté » telle que l'a définie Camus dans l'œuvre éponyme ?
- En quoi *La Peste* fait-il écho à *L'Étranger* et au *Mythe de Sisyphe* ?
- Selon vous, ce livre est-il optimiste ou pessimiste ? Justifiez votre réponse.
- Camus cherche-t-il à faire passer un message ou une morale quelconque avec cet ouvrage ? Développez votre réflexion.

Votre avis nous intéresse !
Laissez un commentaire sur le site de votre librairie en ligne
et partagez vos coups de cœur sur les réseaux sociaux !

POUR ALLER PLUS LOIN

ÉDITION DE RÉFÉRENCE

- Camus A., *La Peste*, Paris, Gallimard, coll. « Folio », 1972.

ÉTUDES DE RÉFÉRENCE

- Beaumarchais J.-P., et Couty D., *Dictionnaire des grandes œuvres de la littérature française*, Paris, Larousse, 1997.
- Huy M.T., « Albert Camus : penser la révolte (dossier) », in *Le Magazine littéraire*, mai 2006.

ADAPTATIONS

- *La Peste*, film de Luis Puenzo (qui a transposé l'action de nos jours et en Amérique du Sud), avec Jean-Marc Barr et Sandrine Bonnaire, Argentine, 1992.
- *La Peste*, pièce de théâtre adaptée et mise en scène par Francis Huster, théâtre Marigny, théâtre de Nice, 2009.

SUR LEPETITLITTÉRAIRE.FR

- Commentaire sur l'incipit de *La Peste* d'Albert Camus
- Commentaire sur l'épilogue de *La Peste*
- Fiche de lecture sur *Les Justes* d'Albert Camus
- Fiche de lecture sur *La Chute* d'Albert Camus
- Fiche de lecture sur *L'Étranger* d'Albert Camus
- Fiche de lecture sur *Le Premier homme* d'Albert Camus
- Fiche de lecture sur *Caligula* d'Albert Camus
- Fiche de lecture sur *Le Mythe de Sisyphe* d'Albert Camus

- Questionnaire de lecture sur *La Peste*
- Questionnaire de lecture sur *Les Justes*

www.lepetitlitteraire.fr

ISBN version numérique : 978-2-8062-1798-1
ISBN version papier : 978-2-8062-1306-8
Dépôt légal : D/2013/12603/24

Avec la collaboration de Lucile Lhoste pour le chapitre « De l'absurde à la révolte ».

Conception numérique : Primento,
le partenaire numérique des éditeurs.

Ce titre a été réalisé avec le soutien de la Fédération Wallonie-Bruxelles, Service général des Lettres et du Livre.

Retrouvez notre offre complète sur lePetitLittéraire.fr

- des fiches de lectures
- des commentaires littéraires
- des questionnaires de lecture
- des résumés

Anouilh
- Antigone

Austen
- Orgueil et Préjugés

Balzac
- Eugénie Grandet
- Le Père Goriot
- Illusions perdues

Barjavel
- La Nuit des temps

Beaumarchais
- Le Mariage de Figaro

Beckett
- En attendant Godot

Breton
- Nadja

Camus
- La Peste
- Les Justes
- L'Étranger

Carrère
- Limonov

Céline
- Voyage au bout de la nuit

Cervantès
- Don Quichotte de la Manche

Chateaubriand
- Mémoires d'outre-tombe

Choderlos de Laclos
- Les Liaisons dangereuses

Chrétien de Troyes
- Yvain ou le Chevalier au lion

Christie
- Dix Petits Nègres

Claudel
- La Petite Fille de Monsieur Linh
- Le Rapport de Brodeck

Coelho
- L'Alchimiste

Conan Doyle
- Le Chien des Baskerville

Dai Sijie
- Balzac et la Petite Tailleuse chinoise

De Gaulle
- Mémoires de guerre III. Le Salut. 1944-1946

De Vigan
- No et moi

Dicker
- La Vérité sur l'affaire Harry Quebert

Diderot
- Supplément au Voyage de Bougainville

DUMAS
- Les Trois Mousquetaires

ÉNARD
- Parlez-leur de batailles, de rois et d'éléphants

FERRARI
- Le Sermon sur la chute de Rome

FLAUBERT
- Madame Bovary

FRANK
- Journal d'Anne Frank

FRED VARGAS
- Pars vite et reviens tard

GARY
- La Vie devant soi

GAUDÉ
- La Mort du roi Tsongor
- Le Soleil des Scorta

GAUTIER
- La Morte amoureuse
- Le Capitaine Fracasse

GAVALDA
- 35 kilos d'espoir

GIDE
- Les Faux-Monnayeurs

GIONO
- Le Grand Troupeau
- Le Hussard sur le toit

GIRAUDOUX
- La guerre de Troie n'aura pas lieu

GOLDING
- Sa Majesté des Mouches

GRIMBERT
- Un secret

HEMINGWAY
- Le Vieil Homme et la Mer

HESSEL
- Indignez-vous !

HOMÈRE
- L'Odyssée

HUGO
- Le Dernier Jour d'un condamné
- Les Misérables
- Notre-Dame de Paris

HUXLEY
- Le Meilleur des mondes

IONESCO
- Rhinocéros
- La Cantatrice chauve

JARY
- Ubu roi

JENNI
- L'Art français de la guerre

JOFFO
- Un sac de billes

KAFKA
- La Métamorphose

KEROUAC
- Sur la route

KESSEL
- Le Lion

LARSSON
- Millenium I. Les hommes qui n'aimaient pas les femmes

LE CLÉZIO
- Mondo

LEVI
- Si c'est un homme

LEVY
- Et si c'était vrai…

MAALOUF
- Léon l'Africain

Malraux
- La Condition humaine

Marivaux
- La Double Inconstance
- Le Jeu de l'amour et du hasard

Martinez
- Du domaine des murmures

Maupassant
- Boule de suif
- Le Horla
- Une vie

Mauriac
- Le Nœud de vipères

Mauriac
- Le Sagouin

Mérimée
- Tamango
- Colomba

Merle
- La mort est mon métier

Molière
- Le Misanthrope
- L'Avare
- Le Bourgeois gentilhomme

Montaigne
- Essais

Morpurgo
- Le Roi Arthur

Musset
- Lorenzaccio

Musso
- Que serais-je sans toi ?

Nothomb
- Stupeur et Tremblements

Orwell
- La Ferme des animaux
- 1984

Pagnol
- La Gloire de mon père

Pancol
- Les Yeux jaunes des crocodiles

Pascal
- Pensées

Pennac
- Au bonheur des ogres

Poe
- La Chute de la maison Usher

Proust
- Du côté de chez Swann

Queneau
- Zazie dans le métro

Quignard
- Tous les matins du monde

Rabelais
- Gargantua

Racine
- Andromaque
- Britannicus
- Phèdre

Rousseau
- Confessions

Rostand
- Cyrano de Bergerac

Rowling
- Harry Potter à l'école des sorciers

Saint-Exupéry
- Le Petit Prince
- Vol de nuit

Sartre
- Huis clos
- La Nausée
- Les Mouches

Schlink
- Le Liseur

Schmitt
- La Part de l'autre
- Oscar et la Dame rose

Sepulveda
- Le Vieux qui lisait des romans d'amour

Shakespeare
- Roméo et Juliette

Simenon
- Le Chien jaune

Steeman
- L'Assassin habite au 21

Steinbeck
- Des souris et des hommes

Stendhal
- Le Rouge et le Noir

Stevenson
- L'Île au trésor

Süskind
- Le Parfum

Tolstoï
- Anna Karénine

Tournier
- Vendredi ou la Vie sauvage

Toussaint
- Fuir

Uhlman
- L'Ami retrouvé

Verne
- Le Tour du monde en 80 jours
- Vingt mille lieues sous les mers
- Voyage au centre de la terre

Vian
- L'Écume des jours

Voltaire
- Candide

Wells
- La Guerre des mondes

Yourcenar
- Mémoires d'Hadrien

Zola
- Au bonheur des dames
- L'Assommoir
- Germinal

Zweig
- Le Joueur d'échecs

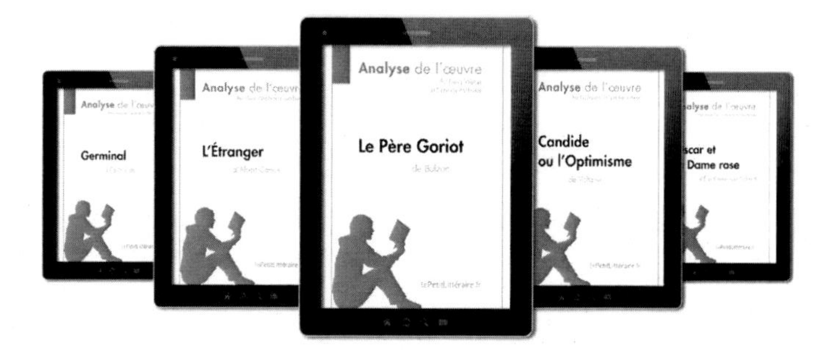